Dictées pour le primaire

1ʳᵉ année

Caroline Massé

Édition révisée par Chantal Contant, linguiste

marcel**didier**

Présentation

Un cahier conforme au programme de 1re année

Le cahier *Dictées pour le primaire, 1re année* a été conçu pour accompagner les élèves de 1re année dans leur apprentissage de la lecture et de l'écriture tout en leur donnant les outils pour acquérir une bonne orthographe. Conforme au programme du ministère de l'Éducation, du Loisir et du Sport (MELS), il aborde les notions essentielles de ce niveau en orthographe et en grammaire.

L'organisation du cahier

Chaque chapitre débute par une courte leçon illustrée par quelques exemples. Des exercices variés et ludiques sont ensuite proposés pour consolider les acquis de l'enfant et le préparer à la dictée qui clôt le chapitre. Les dictées proposées sont adaptées à la progression des élèves : on commence par des dictées de syllabes, puis des dictées de mots, et enfin des dictées de phrases.

Après plusieurs chapitres, une section « Révision » permet de revenir sur les dernières notions abordées et d'évaluer l'apprentissage de l'enfant.

La nouvelle orthographe

La nouvelle orthographe est de plus en plus enseignée dans les écoles. En conséquence, l'ensemble de ce cahier est rédigé selon ces nouvelles règles. Il est important de mentionner que cette évolution de l'orthographe du français ne touche qu'un très petit nombre de mots : moins de dix mots dans ce cahier (par exemple *reconnaitre*, sans accent circonflexe). Les graphies traditionnelles restant valides, elles sont indiquées dans le corrigé. Ainsi, que l'enfant ait rédigé le mot selon l'une ou l'autre de ces orthographes, il ne sera pas pénalisé.

Les exercices et les dictées disponibles en ligne

Les exercices et les dictées disponibles en ligne sont accompagnés du pictogramme suivant : ⬤ . En vous connectant au site www.marceldidier.com, vous pouvez écouter gratuitement le texte de ces exercices et de ces dictées. Toutefois, vous pouvez choisir de lire vous-même le contenu à votre enfant en vous reportant à la page du corrigé indiquée à droite du pictogramme.

Dictées pour le primaire, 1ʳᵉ année

Sommaire

1. Reconnaitre et écrire correctement des syllabes simples

Je découvre

Une syllabe est formée d'une ou de plusieurs lettres que l'on prononce d'un seul coup. Tous les mots contiennent au moins une syllabe.

Exemple : Le mot *ami* a deux syllabes → a – mi.

Rappel

L'alphabet contient 26 lettres : 6 voyelles et 20 consonnes.

a b c d e f g h i j k l m n o p q r s t u v w x y z

Toutes les syllabes contiennent au moins une voyelle. Les syllabes simples sont formées d'une voyelle seule ou d'une consonne et d'une voyelle. Pour bien reconnaitre et écrire une syllabe, associe le son de la première lettre au son de la lettre suivante.

Exemple : La lettre b et la lettre a font « ba », comme dans *ba*nane.

Je m'exerce

1. Encercle dans chaque liste la syllabe que tu entends. ou Corrigé p. 39*

a)	la	le	li	lo	lu
b)	me	my	mo	mu	ma
c)	sa	ta	va	ba	ja
d)	re	dy	fa	no	tu

* Voir « Présentation », page 2.

2. Relie le dessin à la première syllabe du mot qu'il représente.

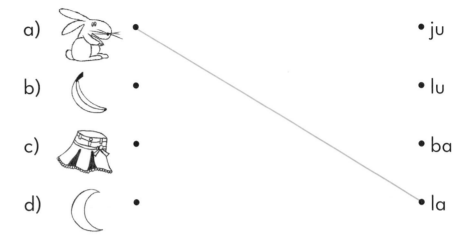

a) •   • ju

b) •   • lu

c) •   • ba

d) •   • la

3. Encercle le son de la dernière syllabe de chaque mot illustré.

Exemple :   ba   pa   ne   ma   fa   (na)

a)   do   ba   pa   ta   da   la

b)   la   po   to   sa   le   va

c)   la   no   mi   ma   pa   mo

d)   so   te   sa   ri   li   ru

Dictée de syllabe

Écris les syllabes que tu entends.   ou   Corrigé p. 39*

2. Reconnaitre et écrire correctement des mots courants

Je découvre

Les mots sont formés d'une ou de plusieurs syllabes.

Exemples : une syllabe → **dé** ; deux syllabes → **ba** - **teau** ;

трois syllabes → **pan** - **ta** - **lon**

Avec les syllabes que tu connais déjà, tu peux former beaucoup de mots courants. Il suffit d'associer plusieurs syllabes.

Exemple : En associant les syllabes **gi** - **ra** - **fe**, tu peux former le mot *girafe*.

Je m'exerce

1. Écris la syllabe manquante pour compléter le mot illustré. Aide-toi des choix de réponses dans les cases.

a) un pi_____te

| re | la | ra | mi |

b) un na_____re

| ri | vi | bo | va |

c) un _____age

| lu | no | mi | nu |

d) une ra_____o

| tu | di | pi | bi |

2. Au bas de la page, découpe les syllabes correspondant à chaque mot illustré. Colle-les ensuite dans le bon ordre à côté de leur dessin.

a) _____

b) _____

c) _____

d) _____

e) _____

✂ **Syllabes à découper** ·····························

a) | ma | te | to |

d) | ma | ja | py |

b) | pe | tu | li |

e) | ra | mi | de | py |

c) | li | de | na | mo |

3. Lis chaque mot, puis relie-le au dessin correspondant.

a) une rame •

b) une luge •

c) une robe •

d) une tirelire •

4. Barre les mots qui ne sont pas écrits correctement.

a) alimal / amimal / animal / abimal

b) image / inage / imoge / inuge

c) mapame / nadame / mabane / madame

d) panane / banane / bamane / baname

Dictée de mots

Écris les mots que tu entends. ou Corrigé p. 40

3. Différencier les accents sur la lettre *e*

Je découvre

La lettre **e** peut prendre trois accents différents : l'accent aigu (**é**),
l'accent grave (**è**) et l'accent circonflexe (**ê**).

- Avec l'accent aigu, la lettre **e** se prononce « **é** », comme dans *bébé*.

- Avec l'accent grave et l'accent circonflexe, la lettre **e** se prononce
« **è** », comme dans *crème* et *fête*.

Je m'exerce

1. Lis à haute voix les mots ci-dessous, puis encercle ceux qui sont
bien écrits.

a)	métêo	mètèo	météo
b)	cinéma	cinèma	cinêma
c)	rêve	reve	réve
d)	camêra	caméra	camèra
e)	crème glacèe	créme glacée	crème glacée

2. Dans l'encadré à droite, écris le nom de l'accent qui est employé
dans chaque série de mots.

a)	fête	tête	guêpe	
b)	fée	café	clé	
c)	lièvre	zèbre	flèche	

3. Ajoute les accents sur les e pour que ces mots se prononcent correctement.

a) legume

b) sirene

c) tete

d) cameleon

e) planete

f) amitie

g) riviere

h) video

4. Complète les phrases en écrivant é, è ou ê. Devine les mots manquants à l'aide des illustrations, puis écris-les.

a) L'ét___, Léo se prom___ne en v_____ .

b) À l' _____ ,   les ___l___ves de premi___re

ann___e apprennent à compter les unit___s.

Dictée de mots

Écris les mots que tu entends.   ou Corrigé
p. 40

4. Différencier les lettres *b*, *d* et *p*

Je découvre

Les lettres **b**, **d** et **p** se ressemblent à l'écrit. Pourtant,
elles ne se prononcent pas de la même façon.
Voici un moyen utile pour ne pas les mélanger :

- Lorsque tu vois un **b**, pense qu'il a un gros **b**edon parce
qu'il a mangé trop de **b**on**b**ons.

- Le **d**, lui, a mal au **d**os parce qu'il a un sac à **d**os trop lourd.

- Quant au **p**, c'est le **p**a**p**a, avec sa tête et son corps.

Je m'exerce

1. Les mots suivants se ressemblent. Lis-les à haute voix, puis trace
une ligne pour relier le bon mot à son dessin.

a) boisson •

poisson •

b) poule •

boule •

c) belle •

pelle •

2. Encercle le mot bien écrit sous chacune des images.

a)

blume / plume

c)

pétale / détale

b)

parachute / barachute

d)

bapillon / papillon

3. Complète les phrases en ajoutant *b*, *d* ou *p*.

a) Pa__a dit à __é__é d'aller faire __o__o.

b) Il y a un __ot plein de jus de __oire que je veux __oire.

c) Sur la ta__le, il y a un __on __otage aux __etits __ois.

Dictée de mots

Écris les mots que tu entends. ou Corrigé p. 41

5. Reconnaitre les deux sons de la lettre c et les deux sons de la lettre s

Je découvre

Lorsqu'elle est placée avant une voyelle, la lettre **c** peut faire le son « k », comme dans **c**anard ou le son « s », comme dans **c**itrouille.

- Si elle est placée avant **a**, **o** ou **u**, elle se prononce « k ».
  Exemples : une **c**ape, un **c**obra, un **c**ube

- Si elle est placée avant **e**, **i** ou **y**, elle se prononce « s ».
  Exemples : une **c**erise, un **c**il, un **c**ygne

Attention : On peut placer une cédille sous la lettre **c** avant les voyelles **a**, **o** ou **u**. Le **c** se prononce alors « s », comme dans *garçon*.

Lorsqu'elle est placée entre deux voyelles, la lettre **s** peut faire le son « z », comme dans *maison*, ou le son « s », comme dans *poisson*.

- Une seule lettre **s** entre deux voyelles se prononce « z ».
  Exemples : une ro**s**e, une u**s**ine, un va**s**e, un dé**s**ert

- Deux lettres **s** entre deux voyelles se prononcent « s ».
  Exemples : une boi**ss**on, un de**ss**ert

Je m'exerce

1. Lis les mots et encercle ceux qui contiennent le son « k ».

une cigale	la colle	un koala	une puce
la cane	le cinéma	une cravate	un sac
le cèleri	un bocal	le kiwi	une balançoire

2. Les mots ci-dessous se ressemblent. Relie le bon mot au dessin, puis relie le dessin au son que tu entends.

a) désert •

    dessert •

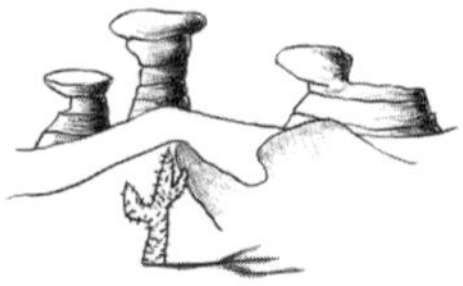

b) coussin •

    cousin •

c) poisson •

    poison •

• « S »

• « Z »

• « S »

• « Z »

• « S »

• « Z »

3. Encercle le mot bien écrit sous chacune des images.

a)

pouce / pouçe

b)

fussée / fusée

c)

casstor / castor

d)

cactus / caktuc

Dictée de mots

Écris les mots que tu entends. 🌀 ou Corrigé p. 41

6. Écrire correctement le son « f »

Je découvre

Il y a trois façons d'écrire le son « f » :

- Très souvent, le son « f » s'écrit avec un f.
  Exemples : la famille, un flocon, une fête, la girafe

- Parfois, le son « f » s'écrit avec deux f.
  Exemples : une affiche, un effort

- D'autres fois, on écrit le son « f » avec les lettres ph.
  Exemples : un dauphin, l'éléphant, une photo

Je m'exerce

1. Complète les mots en écrivant un *f*, deux *f* ou *ph*.

a) télé____one

b) ____acile

c) ____utur

d) ____umée

e) ____oque

f) a____amé

g) ____orêt

h) ____an____are

i) ____ête

j) a____olé

2. Les syllabes des mots ci-dessous sont mélangées. Réécris-les dans le bon ordre.

a)

ri	fa	ne

_____

_____

c)

pha	al	bet

_____

_____

b)

phe	to	pho	gra

_____

_____

d)

tro	tas	phe	ca

_____

_____

3. Complète le poème en écrivant *f* ou *ph*.

Où se cache la ____ée ?

On ne la voit nulle part.

Pas même sur son nénu____ar.

Mais la gira____e, tel un ____are, l'a vu ____iler, telle une ____usée.

Ne craignez pas pour elle. Son parachute, ce sont ses ailes !

Dictée de mots

Écris les mots que tu entends. ou Corrigé p. 42

_____   _____   _____

_____   _____   _____

_____   _____   _____

7. Révision

1. Les syllabes de chaque mot illustré sont dans le désordre.
Réécris-les dans l'ordre sous chaque dessin.

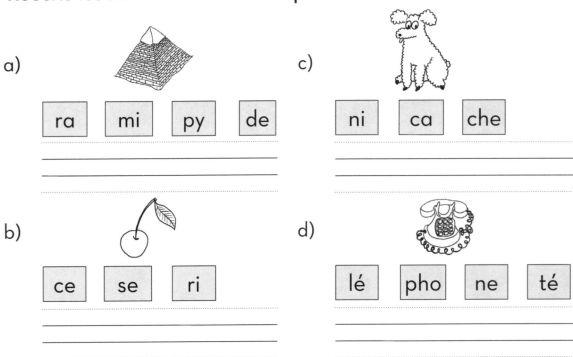

a)

| ra | mi | py | de |

b)

| ce | se | ri |

c)

| ni | ca | che |

d)

| lé | pho | ne | té |

2. Encercle les erreurs dans les phrases, puis réécris correctement
chaque mot fautif sur la ligne d'en dessous.

a) Un (b)oisson dans la riviére mage vite.

poisson

b) Les èléves font le mènage de la clase.

c) Avec la kaméra de papa, je prends une foto de l'elephant.

3. Encercle le mot qui est bien écrit. Cherche-le ensuite dans la grille de mots cachés.

Exemple : affich / (affiche)

a) ani / ami
b) cabane / capane
c) créme / crème
d) éléfant / éléphant

e) girafe / giraphe
f) mecure / mesure
g) lègume / légume
h) parole / darole

i) liévre / lièvre
j) ryme / rime
k) mavire / navire
l) téte / tête

é	l	é	p	h	a	n	t
p	a	r	o	l	e	a	ê
l	é	g	u	m	e	v	t
i	b	i	è	a	m	i	e
è	r	r	i	m	e	r	a
v	c	a	b	a	n	e	v
r	a	f	f	i	c	h	e
e	m	e	s	u	r	e	o

Mot mystère : _____

4. Complète les phrases avec les mots que tu entends. ou Corrigé p. 43

a) Un _____ en _____ , ça _____ se peut pas !

b) Une _____ et une _____ pour un _____

_____ , je n'ai jamais _____ ça !

c) Un _____ qui fait ___ _____ , ça, c'est _____ !

8. Écrire correctement le son « o »

Je découvre

Il y a trois façons d'écrire le son « o » :

- Le plus souvent, le son « o » s'écrit **o** ou quelques fois **ô**.
  Exemples : le b**o**a, un b**o**b**o**, l'**o**péra, un h**ô**pital

- Parfois, le son « o » s'écrit **au**.
  Exemples : une **au**bergine, un ch**au**dron, le d**au**phin, la s**au**terelle

- Parfois, le son « o » s'écrit **eau**.
  Exemples : l'ann**eau**, un bat**eau**, le cerc**eau**, l'**eau**

Je m'exerce

1. **Dans chaque liste, encercle le mot qui est bien écrit.**

a) burau / buro / bureau

b) chaucolat / chocolat

c) colle / ceaulle / caulle

d) marto / marteau / martau

e) gâto / gâtau / gâteau

f) peaulice / police / paulice

g) orage / eaurage / aurage

h) volume / vaulume / vôlume

i) châto / château / châtau

j) haupital / hopital / hôpital

2. Les mots illustrés contiennent tous le son « o ». Classe-les dans le tableau selon la façon dont s'écrit ce son : o, *au* ou *eau*.

Le son « o » s'écrit o.	Le son « o » s'écrit au.	Le son « o » s'écrit eau.
Exemple : **domino**		

3. Les lettres des mots illustrés sont mélangées. Remets-les dans l'ordre pour former des mots qui contiennent le son « o ».

a) u t o u a b s → _____

b) a e u r a p d → _____

c) e r u a u a t → _____

4. Complète les mots en écrivant o, *au* ou *eau*.

a) Aurélie a une j____lie r____be r____se, j____ ____ne et m____ ____ve.

b) Dans le b____ ____ ____ chapit____ ____ ____, il y a un gr____s g____rille

et un clown très c____mique !

9. Écrire correctement le son « an » et le distinguer du son « in »

Je découvre

Le son « an » peut s'écrire de deux façons :

- Il peut s'écrire an.

  Exemples : amusant, une chance, la maman, l'océan

- Il peut aussi s'écrire en.

  Exemples : une aventure, le ciment, content, les parents

Il ne faut pas confondre le son « an » avec le son « in ».

Le son « in » s'écrit le plus souvent in.

Exemples : un câlin, les dessins, féminin, le matin, des voisins

Je m'exerce

1. Encercle les dessins en noir lorsque tu entends le son « an »
   et en vert lorsque tu entends le son « in ». Complète ensuite
   les mots correspondants en écrivant soit *an* ou *en*, soit *in*.

a) or__ __ge

b) sap__ __

c) serp__ __t

d) p__ __da

e) rais__ __

f) requ__ __

2. Les syllabes ci-dessous sont mélangées. Réécris-les dans l'ordre en t'aidant de l'indice.

a) | ti | | clé | | men | | ne | _____

Indice : C'est orange et ça se mange.

b) | cen | | in | | die | _____

Indice : C'est un grand feu qui cause des dégâts.

c) | les | | ta | | ten | | cu | _____

Indice : La pieuvre en a plusieurs.

3. Encercle le mot qui est bien écrit dans les parenthèses.

a) L'(an / en) passé, le 1er (jinvier / janvier) était un (dimanche / dimenche) sur le (calandrier / calendrier).

b) Le (senge / singe) se (balince / balance) sur la (brenche / branche).

c) Le (médecin / médecen) donne un (vaccen / vaccin) à Léa.

Dictée de mots

Écris les mots que tu entends. ou Corrigé p. 44

_____ _____ _____

_____ _____ _____

_____ _____ _____

_____ _____ _____

10. Écrire correctement les sons «eu», «on», «ou» et «oi»

Je découvre

- Le son «eu» s'écrit **eu**.

  Exemples : h**eu**r**eu**x, un j**eu**, le j**eu**di, le mili**eu**, vi**eu**x, les y**eu**x

- Le son «on» s'écrit **on**.

  Exemples : des ball**on**s, un citr**on**, la mais**on**, du sav**on**, ce viol**on**

- Le son «ou» s'écrit **ou**.

  Exemples : un bij**ou**, le c**ou**, ce cl**ou**, des l**ou**ps, la r**ou**e

- Le son «oi» s'écrit **oi**.

  Exemples : b**oi**re, le fr**oi**d, la j**oi**e, des n**oi**x, un p**oi**s, le r**oi**

Je m'exerce

1. Relie chaque image au son que tu entends.

a) •   • son « eu »

b) •

                                         • son « on »

c) •

                                         • son « ou »

d) •

                                         • son « oi »

e) •

2. Encercle le mot qui est écrit correctement sous chaque image.

a)

vouture / voiture

c)

boiton / bouton

b)

camion / camiou

d)

mouton / montou

3. Complète les mots en écrivant *eu, on, ou* ou *oi*.

Je connais d☐ ☐x hist☐ ☐res où il y a un méchant l☐ ☐p :

Les tr☐ ☐s petits coch☐ ☐s et *Le petit chaper☐ ☐ r☐ ☐ge*.

Il se promène dans les b☐ ☐s et a de grands y☐ ☐x. M☐ ☐,

je ne l'aime pas du t☐ ☐t, car il me fait un p☐ ☐ peur.

Dictée de mots

Écris les mots que tu entends. ou Corrigé
p. 44

11. Révision

1. Encercle le son que tu entends pour chacun des dessins.

a)

« o » / « in » / « on »

c)

« on » / « o » / « oi »

b)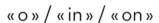

« eu » / « in » / « an »

d)

« an » / « in » / « ou »

2. Réponds aux devinettes en écrivant le nom des animaux.

Qui suis-je ?

a) Je vis dans le désert et j'ai deux bosses sur mon dos :

un ch ‗‗ m ‗‗ ‗‗ ‗‗.

b) J'ai de gros yeux ronds et je chasse la nuit : un h‗‗b‗‗ ‗‗ ‗‗.

c) J'ai de grandes oreilles et je mange des carottes : un l‗‗p‗‗ ‗‗ ‗‗.

d) Je vis dans l'eau et j'aime nager : un p‗‗ ‗‗ ss‗‗ ‗‗ ‗‗.

e) J'ai des plumes et je vole : un ‗‗ ‗‗ s‗‗ ‗‗ ‗‗ ‗‗.

f) Je suis le bébé de la vache : un v‗‗ ‗‗ ‗‗.

3. Complète les mots en écrivant les lettres indiquées dans les étiquettes vertes. Barre-les au fur et à mesure que tu les utilises. Colorie ensuite la sorcière.

o	o	au	au	eau	en	ou
an	on	on	on	on	on	eu
eu	eu	ou	ou	ou	oi	oi

La sorcière n'est pas très j___lie. Elle a les chev___ ___x bl___ ___s et

un gros b___ ___t___ ___r___ ___ge sur le b___ ___t du nez. Elle porte

une l___ ___gue r___be n___ ___re et un gr___ ___d chap___ ___ ___

m___ ___ve. Elle n'a que tr___ ___s d___ ___ts. Dans s___ ___ vi___ ___x

ch___ ___dr___ ___, sa s___ ___pe ne sent pas très b___ ___.

Dictée de mots

Écris les mots que tu entends. ou **Corrigé** p. 45

12. Reconnaitre le nom commun et le nom propre

Je découvre

Le nom commun est un mot qui désigne une personne, un animal, un objet, un sentiment, etc. Il commence par une minuscule.

Exemples : fille, zèbre, table, joie

Le nom propre est un mot qui désigne une personne, un animal, un lieu précis (par exemple une rue, une ville, un pays, une mer ou une planète), etc. Tous les noms propres commencent par une majuscule.

Exemples : Arielle, Thomas, Milou, Sherbrooke, Mexique, Jupiter.

Je m'exerce

1. Encercle les noms communs en vert et encadre les noms propres en noir.

ballon	judo	Zachary	peur	téléphone
chaton	été	Léa	montagne	jeu
bateau	France	crayon	Rose-Marie	bonheur

2. Classe les noms communs et les noms propres suivants dans le tableau.

élève	livre	Gabriel	loup
table	école	Milou	Canada

Personne	Animal	Lieu	Objet

3. Les noms propres des phrases suivantes sont écrits sans majuscule. Réécris-les correctement sur la ligne d'en dessous.

a) L'année prochaine, malik ira à l'école douville.

_____

_____

b) Mon amie florence habite sur la rue laurier.

_____

_____

c) La famille de madhi est partie en voyage au maroc.

_____

_____

4. Souligne les six noms communs dans le poème ci-dessous.

Je pars pour Madagascar

Rencontrer des bêtes que je n'ai jamais vues.

Pas de canards, mais des lézards,

Des tortues, des lémurs et des zébus.

Dictée de mots

Écris les noms communs et les noms propres que tu entends. N'oublie pas les majuscules au besoin.

ou Corrigé p. 45

_____ _____ _____

_____ _____ _____

_____ _____ _____

_____ _____ _____

13. Reconnaitre le genre du nom

Je découvre

La plupart des noms sont soit masculins, soit féminins.

- Si tu peux utiliser **un** ou **le** devant un nom, il est masculin.

  Exemples : **un** chapeau, **le** chat

- Si tu peux utiliser **une** ou **la** devant un nom, il est féminin.

  Exemples : **une** école, **la** fleur

Certains noms peuvent être employés au masculin et au féminin.

Le plus souvent, on ajoute un **e** au masculin pour former son féminin.

Exemples : un marchand → une marchand**e** ; un voisin → une voisin**e**

Je m'exerce

1. Classe les noms ci-dessous dans le tableau. Écris *un* ou *une* devant chacun des noms.

mouche

main

livre

mer

chien

poisson

Noms masculins	Noms féminins

2. Complète les phrases en écrivant *le* ou *la*. N'oublie pas
les majuscules au besoin.

a) _____ livre que _____ garçon lit est mon préféré.

b) C'est _____ fin de la récréation, il faut ranger _____ ballon.

c) _____ semaine prochaine, ce sera _____ printemps.

3. Trouve l'intrus : dans chacun des ensembles, barre le mot qui est
mal classé.

Noms féminins	Noms masculins	Noms féminins	Noms masculins
classe	manteau	tigre	chaton
chapeau	soulier	girafe	zèbre
amie	bureau	poule	souris
mitaine	école	vache	lézard

Dictée de groupes de mots

Écris les groupes de mots que tu entends. ou Corrigé p. 46

_____   _____

_____   _____   _____

_____   _____   _____

14. Reconnaitre le nombre du nom

Je découvre

Le nom peut être employé au singulier ou au pluriel.

- Si tu peux utiliser **un** ou **une**, **le** ou **la** devant un nom, il est au singulier.
  Exemples : **une** rivière, **le** garçon, **la** pomme, **un** lion

- Si tu peux utiliser **des** ou **les** devant un nom, il est au pluriel. Le plus souvent, on ajoute un **s** à la fin du nom pour le mettre au pluriel.
  Exemples : **des** rivières, **les** garçons, **les** pommes, **des** lions

Je m'exerce

1. Écris les noms suivants au pluriel.

a) le magasin → les _____

b) mon ami → mes _____

c) un crocodile → quatre _____

d) une école → des _____

2. Encercle les noms qui sont bien écrits.

un livre   les fleurs   des pantalon   la girafes

les vacance   deux filles   une amie   trois faute

3. Ajoute un s aux noms de ce texte qui doivent être au pluriel.

Ce matin, j'ai perdu non pas une, mais deux dent ! Je les ai montrées à tous mes ami . Si je place ces petits trésor sous mes oreiller , je crois bien que la fée des dent viendra me donner deux dollar en échange. C'est bien la première fois que j'ai hâte qu'il soit huit heure pour aller me coucher !

Dictée de phrases

Écris les phrases que tu entends. N'oublie pas de mettre les noms au pluriel.  ou Corrigé p. 47

Banque de mots	
jouent	mes
avec	beaucoup
préparent	ont

a) _____

b) _____

c) _____

15. Reconnaitre la phrase

Je découvre

Une phrase est une suite de mots qui a un sens. La phrase commence toujours par une majuscule et se termine par un point.

Exemples : Je vais à l'école. Mon ami aime jouer au ballon.

Pour qu'une phrase soit claire et facile à comprendre, les mots doivent être placés dans le bon ordre.

Exemple :   Élizabeth écoute de la musique.

~~De la musique écoute Élizabeth.~~

Je m'exerce

1. Encercle les phrases dont la majuscule et le point sont bien placés.

a)   Jeanne joue avec Laurent

b)   Jeanne joue avec Laurent.

c)   mon ami Samuel habite à Joliette.

d)   Mon ami Samuel habite à Joliette.

e)   Le koala grimpe dans l'arbre

f)   Le koala grimpe dans l'arbre.

g)   le koala grimpe dans l'arbre.

2. Les majuscules et les points des phrases ci-dessous ont été oubliés. Ajoute les majuscules au-dessus et place les points aux bons endroits.

justin et victor sont des jumeaux   ils sont tous les deux dans ma classe   parfois, ma professeure julie mélange leurs prénoms, car ils se ressemblent beaucoup

3. Encercle la phrase dont les mots sont placés dans le bon ordre.

a) Jeudi passé, Jade a reçu cinq beaux cadeaux.

b) Jeudi passé, Jade a reçu cinq cadeaux beaux.

c) Olivier a donné lui une jolie voiture bleue.

d) Olivier lui a donné une jolie voiture bleue.

e) Jade partage ses jouets avec son frère petit Félix.

f) Jade partage ses jouets avec son petit frère Félix.

g) Jade ses jouets partage avec son Félix petit frère.

h) Jade et Félix aiment aller à la piscine.

i) Jade et Félix aller à la piscine aiment.

4. Les mots des phrases ci-dessous sont mélangés. Réécris-les dans le bon ordre sur la ligne d'en dessous. Aide-toi des majuscules et des points pour placer le premier et le dernier mots.

a) | a | moustaches. | des | Le | poisson-chat |

....

_____

....

b) | long | un | Le | museau. | a | tamanoir |

....

_____

....

c) | fourmis. | mange | de | beaucoup | Il |

....

_____

....

d) | un | noir. | Le | oiseau | jaune | et | toucan | est |

....

_____

....

Défi !

e) | la | peut | Le | couleur | sa | caméléon |

| peau. | changer | de |

....

_____

....

_____

16. Révision

1. Les mots ci-dessous sont mélangés. Réécris-les dans le bon ordre
pour former des phrases.

a) | la | aller | aime | piscine. | à | L'été, | il |

_____

_____

b) | je | mange | Durant | pommes. | des | l'automne, |

_____

_____

_____

c) | de | adore | l'hiver. | gros | neige | Elle |
| faire | bonhomme | un |

_____

_____

_____

_____

d) | dans | printemps, | des | il y a | arbres. |
| les | bourgeons | Au |

_____

_____

_____

2. Encercle tous les noms communs.

Rosalie   bébé   tableau   Daniel   Saturne

maman   Japon   idée   Juliette   image

3. Dans ce texte, il manque les s de neuf noms au pluriel, ainsi que trois majuscules et trois points. Indique-les au-dessus de chaque ligne.

dans les livre   de maternelle, il y a beaucoup d'image   En première

année, les élève   apprennent à lire beaucoup de mot .

tes ami   et toi pouvez lire des histoire   aux enfant

plus petits   quand tu seras encore plus grand,

tu pourras lire des longs roman   de cent page

Dictée à trous

**Complète le texte en écrivant les mots que tu entends.
N'oublie pas les majuscules et les s au besoin.**   ou Corrigé p. 48

Qu'est-ce qui se déplace le plus _____? Les _____,

les trains _____ les _____? Les _____ sont

les plus _____s. Ils peuvent traverser des _____ en

quelques h_____ seulement.

Corrigé

Pages 4 et 5

1. Reconnaitre et écrire correctement des syllabes simples

1. Lire les quatre syllabes entourées à l'enfant.
   a) la   le   (li)   lo   lu
   b) me   my   mo   (mu)   ma
   c) sa   (ta)   va   ba   ja
   d) re   dy   fa   (no)   tu

2.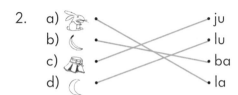
   a) • ju
   b) • lu
   c) • ba
   d) • la

3. a) 🐼 do   ba   pa   ta   (da)   la
   b) 🏍 la   po   (to)   sa   le   va
   c) 🐈 la   (no)   mi   ma   pa   mo
   d) 🐁 so   te   sa   (ri)   li   ru

Dictée de syllabes (page 5)
fe   ja   ri   lu   do
sa   bu   mi   vo   pe

Pages 6 à 9

2. Reconnaitre et écrire correctement des mots courants

1. a) un pi**r**ate   c) un **nu**age
   b) un na**v**ire   d) une ra**di**o

2. a) tomate   b) tulipe   c) limonade   d) pyjama   e) pyramide

3. a) une rame •
   b) une luge •
   c) une robe •
   d) une tirelire •

4. a) ~~alimal~~ / ~~amimal~~ / **animal** / ~~abimal~~
   b) **image** / ~~inage~~ / ~~imoge~~ / ~~inuge~~
   c) ~~mapame~~ / ~~nadame~~ / ~~mabane~~ / **madame**
   d) ~~panane~~ / **banane** / ~~bamane~~ / ~~baname~~

Dictée de mots (page 9)

ami	lire	minute
rapide	rime	salade

3. Différencier les accents sur la lettre e

1. a) métêo   mètèo   (météo)
    b) (cinéma)   cinèma   cinêma
    c) (rêve)   reve   réve
    d) camêra   (caméra)   camèra
    e) crème glacèe   créme glacée   (crème glacée)

2. a) fête   tête   guêpe
    b) fée   café   clé
    c) lièvre   zèbre   flèche

accent circonflexe
accent aigu
accent grave

3. a) légume   e) planète
    b) sirène   f) amitié
    c) tête   g) rivière
    d) caméléon   h) vidéo

4. a) L'été, Léo se promène en vélo.
    b) À l'école, les élèves de première année apprennent à compter les unités.

Dictée de mots (page 11)

céréale	ménage	numéro
opéra	remède	saleté
têtu	vérité	zèbre

4. Différencier les lettres b, d et p

1. a) boisson •

    poisson •

    b) poule •

    boule •

    c) belle •

    pelle •

2. a)

blume / (plume)

c)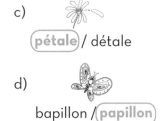

(pétale) / détale

b)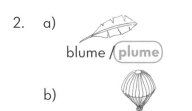

(parachute) / barachute

d)

bapillon / (papillon)

3. a) Pa**p**a dit à **b**é**b**é d'aller faire **d**o**d**o.

b) Il y a un **p**ot plein de jus de **p**oire que je veux **b**oire.

c) Sur la ta**b**le, il y a un **b**on **p**otage aux **p**etits **p**ois.

Dictée de mots (page 13)

domino	piano	dire
pipe	bobo	date
pirate	dame	pédale

Pages 14 et 15

5. Reconnaitre les deux sons de la lettre c et les deux sons de la lettre s

1. une cigale   la (colle)   un (koala)   une puce

la (cane)   le cinéma   une (cravate)   un (sac)

le cèleri*   un (bocal)   le (kiwi)   une balançoire

céleri, en orthographe traditionnelle

2. a) désert
   dessert

   b) coussin
   cousin

   c) poisson
   poison

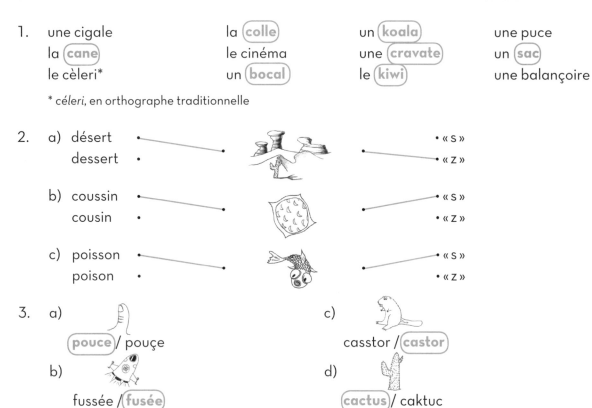

• « s »
• « z »

• « s »
• « z »

• « s »
• « z »

3. a) (pouce) / pouçe

b) fussée / (fusée)

c) casstor / (castor)

d) (cactus) / caktuc

Dictée de mots (page 15)

visage	case	cerise
cube	classe	rose

6. Écrire correctement le son « f »

1. a) télé**ph**one
   b) **f**acile
   c) **f**utur
   d) **f**umée
   e) **ph**oque

   f) a**ff**amé
   g) **f**orêt
   h) **f**an**f**are
   i) **f**ête
   j) a**ff**olé

2. a) **f**arine
   b) **ph**otogra**ph**e

   c) al**ph**abet
   d) catastro**ph**e

3. Où se cache la **f**ée ?
   On ne la voit nulle part.
   Pas même sur son nénu**f**ar*.
   Mais la gira**f**e, tel un **ph**are, l'a vue **f**iler, telle une **f**usée.
   Ne craignez pas pour elle. Son parachute, ce sont ses ailes !

   * *nénuphar*, en orthographe traditionnelle

Dictée de mots (page 17)

favori	figurine	phrase
café	chiffre	confiture

7. Révision

1. a) pyramide
   b) cerise

   c) caniche
   d) téléphone

2. a) Un(b)oisson dans la rivi(è)re (m)age vite.
      <u>poisson   rivière nage</u>

   b) Les (é)l(é)ves font le m(é)nage de la cla(s)e.
      <u>élèves   ménage   classe</u>

   c) Avec la (k)améra de papa, je prends une (f)oto de l'(é)l(é)phant.
      <u>caméra   photo   éléphant</u>

3.   a) ani / (ami)   g) lègume / (légume)

        b) (cabane) / capane   h) (parole) / darole

        c) créme / (crème)   i) liévre / (lièvre)

        d) éléfant / (éléphant)   j) ryme / (rime)

        e) (girafe) / giraphe   k) mavire / (navire)

        f) mecure / (mesure)   l) téte / (tête)

     Mot mystère : **bravo**

é	l	é	p	h	a	n	t
p	a	r	o	l	e	a	ê
l	é	g	u	m	e	v	t
i	b	i	è	a	m	i	e
è	r	r	i	m	e	r	a
v	c	a	b	a	n	e	v
r	a	f	f	i	c	h	e
e	m	e	s	u	r	e	o

4.   a) Un **boa** en **pyjama**, ça **ne** se peut pas !

        b) Une **chemise** et une **jupe** pour un **bébé koala**, je n'ai jamais **vu** ça !

        c) Un **lama** qui fait **du vélo**, ça, c'est **rigolo** !

Pages 20 et 21

8. Écrire correctement le son « o »

1.   a) burau / buro / (bureau)   f) peaulice / (police) / paulice

        b) chaucolat / (chocolat)   g) (orage) / eaurage / aurage

        c) (colle) / ceaulle / caulle   h) (volume) / vaulume / vôlume

        d) marto / (marteau) / martau   i) châto / (château) / châtau

        e) gâto / gâtau / (gâteau)   j) haupital / hopital / (hôpital)

2.

Le son « o » s'écrit **o**.	Le son « o » s'écrit **au**.	Le son « o » s'écrit **eau**.
Exemple : domino	chaussures	cadeau
fromage	épaule	chapeau
olives	autruche	chameau

3.   a) autobus   b) drapeau   c) taureau

4.   a) Aurélie a une jolie robe rose, jaune et mauve.

        b) Dans le beau chapiteau, il y a un gros gorille et un clown très comique !

Pages 22 et 23

9. Écrire correctement le son « an » et le distinguer du son « in »

1.   a)   or**an**ge   d)   p**an**da

        b)   sap**in**   e)   rais**in**

        c)   serp**en**t   f)   requ**in**

2. a) clémentine   b) incendie   c) tentacules

3. a) L'((an)/ en) passé, le 1ᵉʳ (jinvier /(janvier)) était un ((dimanche)/ dimenche) sur le (calandrier /(calendrier)).
    b) Le (senge /(singe)) se (balince /(balance)) sur la (brenche /(branche)).
    c) Le ((médecin)/ médecen) donne un (vaccen /(vaccin)) à Léa.

Dictée de mots (page 23)

ruban   danse   lutin
ange   chemin   silence

Pages 24 et 25

10. Écrire correctement les sons « eu », « on », « ou » et « oi »

1. a)
    b)
    c)
    d)
    e)

    • son « eu »
    • son « on »
    • son « ou »
    • son « oi »

2. a) vouture /(voiture)
    b) (camion)/ camiou

    c) boiton /(bouton)
    d) (mouton)/ montou

3. Je connais deux histoires où il y a un méchant loup : *Les trois petits cochons* et *Le petit chaperon rouge*. Il se promène dans les bois et a de grands yeux. Moi, je ne l'aime pas du tout, car il me fait un peu peur.

Dictée de mots (page 25)

cheveu   patinoire   bleu
bonbon   pou   soupe
melon   boite*   poumon

* *boîte*, en orthographe traditionnelle

Pages 26 et 27

11. Révision

1. a) « o » / « in » /(« on »)   b) « eu » /(« in »)/ « an »   c) « on » /(« o »)/ « oi »

d) (« an »)/ « in » / « ou »

2. a) un ch**ameau** c) un l**apin** e) un **oiseau**
    b) un h**ib**ou d) un p**oisson** f) un v**eau**

3. La sorcière n'est pas très j**oli**e. Elle a les chev**eux** bl**eus** et un gros b**outon** **rouge** sur le b**out** du nez. Elle porte une l**ongue** robe n**oire** et un gr**and** chap**eau** m**auve**. Elle n'a que tr**ois** d**ent**s. Dans s**on** vi**eux** ch**audron**, sa s**oupe** ne sent pas très b**on**.

Dictée de mots (page 27)

bateau	bijou	pantalon
matin	lutin	lion
roi	jeu	autobus

Pages 28 et 29

12. Reconnaitre le nom commun et le nom propre

1. (ballon)   (judo)   Zachary   (peur)   (téléphone)

    (chaton)   (été)   Léa   (montagne)   (jeu)

    (bateau)   France   (crayon)   Rose-Marie   (bonheur)

2.

Personne	Animal	Lieu	Objet
élève	Milou	école	table
Gabriel	loup	Canada	livre

3. a) L'année prochaine, malik ira à l'école douville.
        _____**M**alik_____**D**ouville___

    b) Mon amie florence habite sur la rue laurier.
        _____**F**lorence_____**L**aurier___

    c) La famille de madhi est partie en voyage au maroc.
        _____**M**adhi_____**M**aroc___

4. Je pars pour Madagascar
    Rencontrer des **bêtes** que je n'ai jamais vues.
    Pas de **canards**, mais des **lézards**.
    Des **tortues**, des **lémurs** et des **zébus**.

Dictée de mots (page 29)

Jérémie	banane	autobus
Montréal	météo	Canada

13. Reconnaitre le genre du nom

1.

Noms masculins	Noms féminins
un livre	une mouche
un chien	une main
un poisson	une mer

2. a) **Le** livre que **le** garçon lit est mon préféré.
    b) C'est **la** fin de la récréation, il faut ranger **le** ballon.
    c) **La** semaine prochaine, ce sera **le** printemps.

3.

Noms féminins	Noms masculins	Noms féminins	Noms masculins
classe	manteau	~~tigre~~	chaton
~~chapeau~~	soulier	girafe	zèbre
amie	bureau	poule	~~souris~~
mitaine	~~école~~	vache	lézard

Dictée de groupes de mots (page 31)

mon voisin	ma voisine	
un savant	une savante	le géant
la géante	un ami	une amie

14. Reconnaitre le nombre du nom

1. a) le magasin → les **magasins**
    b) mon ami → mes **amis**
    c) un crocodile → quatre **crocodiles**
    d) une école → des **écoles**

2. un ⟨livre⟩   les ⟨fleurs⟩   des pantalon   la girafes

    les vacance   deux ⟨filles⟩   une ⟨amie⟩   trois faute

3. Ce matin, j'ai perdu non pas une, mais deux dent**s**! Je les ai montrées à tous mes ami**s**.
    Si je place ces petits trésor**s** sous mes oreiller**s**, je crois bien que la fée des dent**s** viendra
    me donner deux dollar**s** en échange. C'est bien la première fois que j'ai hâte qu'il soit huit
    heure**s** pour aller me coucher!

Dictée de phrases (page 33)

a) Les enfants jouent avec des ballons.

b) Les élèves préparent des cartes pour la fête des mères.

c) Dans mes livres, beaucoup de pages ont des images.

Pages 34 à 36

15. Reconnaitre la phrase

1. a) Jeanne joue avec Laurent

    b) Jeanne joue avec Laurent.

    c) mon ami Samuel habite à Joliette.

    d) Mon ami Samuel habite à Joliette.

    e) Le koala grimpe dans l'arbre

    f) Le koala grimpe dans l'arbre.

    g) le koala grimpe dans l'arbre.

2. Justin et Victor sont des jumeaux. Ils sont tous les deux dans ma classe. Parfois, ma professeure Julie mélange leurs prénoms, car ils se ressemblent beaucoup.

3. a) Jeudi passé, Jade a reçu cinq beaux cadeaux.

    b) Jeudi passé, Jade a reçu cinq cadeaux beaux.

    c) Olivier a donné lui une jolie voiture bleue.

    d) Olivier lui a donné une jolie voiture bleue.

    e) Jade partage ses jouets avec son frère petit Félix.

    f) Jade partage ses jouets avec son petit frère Félix.

    g) Jade ses jouets partage avec son Félix petit frère.

    h) Jade et Félix aiment aller à la piscine.

    i) Jade et Félix aller à la piscine aiment.

4. a) Le poisson-chat a des moustaches.

    b) Le tamanoir a un long museau.

    c) Il mange beaucoup de fourmis.

    d) Le toucan est un oiseau jaune et noir.

    e) Le caméléon peut changer la couleur de sa peau.

16. Révision

1. a) L'été, il aime aller à la piscine.
    b) Durant l'automne, je mange des pommes.
    c) Elle adore faire un gros bonhomme de neige l'hiver.
    d) Au printemps, il y a des bourgeons dans les arbres.

2. Rosalie   (bébé)   (tableau)   Daniel   Saturne

    (maman)   Japon   (idée)   Juliette   (image)

3. Dans les livres de maternelle, il y a beaucoup d'images. En première année, les élèves apprennent à lire beaucoup de mots. Tes amis et toi pouvez lire des histoires aux enfants plus petits. Quand tu seras encore plus grand, tu pourras lire des longs romans de cent pages.

Dictée à trous (page 38)
Qu'est-ce qui se déplace le plus vite ? Les avions, les trains ou les voitures ?
Les avions sont les plus rapides. Ils peuvent traverser des océans en quelques heures seulement.